FETISH

MASTERPIECES OF EROTIC PHOTOGRAPHY

Tony Mitchell

© Text and design Carlton Books Limited, 1999
© Издание на русском языке.
ООО «Экспресс-Клуб», 2001

Picture Editor: Lorna Ainger
Picture Research: Justin Downing
Senior Art Editor: Diane Spender
Designer: Michael Spender

ББК 85.16(4Вел)
ISBN 5-8023-0006-x

ШЕДЕВРЫ ЭРОТИЧЕСКОЙ ФОТОГРАФИИ

Фетиш

Тони Митчелл

Перевод с английского И. А. БОЧКОВА

МОСКВА • «ЭКСПРЕСС-КЛУБ» • 2001

Содержание

Предисловие Тони Митчелла

Современная культура, осложненная сексуальной проблематикой, неустанно подвергает нас воздействию фетишистских образов. Реклама, пользующаяся громадным влиянием на нашу жизнь, успешно применяет создания садомазохистской (СМ) фантазии, побуждая нас к труду и убеждая покупать все: от автомобилей до трикотажа и от косметики до пива. И в любом из визуальных средств, где сталкиваешься с эротикой, фетишистские образы уже традиционно привлекают наше внимание.

Такое положение вещей в большей мере явилось результатом постепенного погружения в мейнстрим идей и образов влиятельной фетишистской контркультуры, которая стала развиваться в Лондоне с начала 1980-х гг. и ныне распространилась по всему свету. Эта культура обладает своими собственными дизайнерами, магазинами, клубами, журналами, музыкой, кино, искусством и, разумеется, фотографией. Но влияние ее простирается и на кинопроизведения крупнейших голливудских студий, видеозаписи поп-звезд, наподобие Мадонны, и коллекции таких мастеров высокой моды (haut couture), как, например, Тьерри Мюглер.

Огромные рекламные средства, позволяющие привлекать наилучших фотографов, режиссеров, манекенщиц, создавать превосходные костюмы и снимать в избранных местах — все это означает, что даже наиболее размытые стереотипные СМ-сюжеты, создаваемые для массового потребления, могут иметь большое влияние. В рамках избранного фетишистского жанра средств может быть значительно меньше, но диапазон создаваемой образности существенно велик, так как во многом он берет начало среди разнообразия личных пристрастий, а не вследствие потребностей массового рынка.

Фотографии в данном издании отражают аспекты таковых стремлений, хотя основной его целью является познакомить читателя с большим объемом замечательных образов, созданных фотомастерами, работающими в основном в фетишистской печати либо создающими для этого вида прессы сугубо фетишистские образы. Как и в случае с распространенным жанром эротической фотографии, большинство фотографов, создающих СМ и фетишистские работы, — мужчины, хотя среди восходящих звезд встречаются и плодотворно творящие женщины. Поскольку представители обоих полов работают преимущественно с моделями-женщинами, большинство из представленных в альбоме снимков неизбежно отражает широко распространенные гетеросексуальные взгляды, т.е. точку зрения, разделяемую наиболее влиятельными потребителями фетишистской прессы и фетишистских образов.

Это, однако, не означает, что «Фетиш» являет собой всего лишь сборник настенных плакатов с изображениями девиц. Конечно, доля их составляет свою жанровую часть — как и долю журналов, обосновывающих их наличием свой коммерческий тираж. В действительности же подобные публикации поставляют лишь фетишистское сырье. Жанр, известный на коммерческом жаргоне, как «резиновые курочки», это род мягкого СМ-порно, ничего иного не сообщающего о своем объекте, кроме как: «Вот чудная девочка в ярких сексуальных резиночках. Не желаете ли попробовать?» Здесь нет никакой истории, зрителя не влечет ничто, помимо быстро преходящей благодарности за женщину -в-наряде, ничего, что предполагало бы за этой персоной какой-либо мотивации или подтекста — одно лишь стремление выглядеть посексуальнее перед объективом.

И все же у фотографа с иной мотивировкой поверхностный образ модели, позирующей в фетишистском облачении, может стать чем-то большим. Объектив ухватит личность, образ и стиль — а это уже ключ к портретированию и моде современного жанра фетиша. Знаменитые фетиш-портреты способны быть дерзкими и вызывающими либо невероятно загадочными; могут быть схвачены в быстротечный момент перверсии или явиться изощренным эротическим мечтанием.

В некоторых наиболее сильнодействующих перверсивных образах не показана вся модель целиком, внимание фокусируется лишь на одной части тела, снабженной соответствующими фетишистскими аксессуарами: резинка чулка, которую тянет пояс; разделываемая мясная туша; немыслимо затянутая корсетом талия. Отказывая нам в видении всей фигуры, такие снимки могут послужить тому, в чем иногда (и несправедливо) обвиняют фетишизм, как в самом ужасном преступлении: деперсонализации, т. е. обесцениванию индивидуума путем смещения эротического фокуса. Но в этих снимках присутствие личности жизненно важно, поскольку создается эффект воздействия предмета или объекта на тело — таким путем, при котором тело (и, соответственно, поведение его обладателя) преображается; и объектив способствует этому. При этом талантливый фетишистский снимок сентенцию типа «а вот фото корсета с человеком в нем» подменяет вопросами «а что происходит с человеком внутри этого корсета?» или «что происходит с этим человеком вне рамок снимка?».

Модификация тела — в действительности весьма хороший способ выявить, что же такое фетишизм. Сам термин изобрели для описания особого рода украшательства и декорирования физического облика, например пирсинга, татуировки или насечек. Но он также подходит и для временных манипуляций с телом — будь то облачение его во «вторую» кожу из эластичной синтетики или обмазывание маслами.

Концепция фетишизма как психологической и поведенческой модификации помогает также разъяснить фантазии на тему эротического рабства и преобладания образа рабства в этом жанре. В пределах фетишистского мира рабство, во-первых, понимается, как смирение, покорность, для чего согласие является первичным условием. Это фантазии на темы несвободы, беспомощности, опутывания тела цепями, или веревками, либо кожаными ремнями. Эйфория, вызываемая сочетанием физического стимула вследствие наложенных ограничений и утраты физико-психологического контроля, есть то, чего взыскует энтузиаст рабства. Образ связанного объекта помочь не может, но воздействует сильно: это происходит из-за автоматически получающейся визуальной динамики между телом и оковами. Но если вы добавите сюда еще эротическую мотивацию, например скованное лицо женщины, прекрасный образ вашей чувственной фантазии невольно может обратиться неким зловещим описанием сексуального насилия над женщиной.

К счастью, ныне фантазии на темы чувственной природы сексуального рабства признаны более широко, и хороший фотограф зачастую подчеркивает активность объекта соответствующими позами и экспрессией. Но почему в большинстве таких «гетеро»- снимков всегда во главе угла женщины? Вероятно, по той же причине, что и большинство эротических образов отражены в объектах-женщинах: ведь большинство работающих в этом жанре фотографов (что относится и к мастерам женского пола) просто предпочитают фотографировать женщин, вдохновляемые их женской эстетикой.

Образы взаимодействия двух или более людей, играющих доминирующую и подчиненную роли, — еще одна популярная тема фетишистской фотографии. Сценарии доминантности-подчиненности лежат в самой основе СМ-игры, и, подобно тому, как происходит в реальной жизни, фотографы отображают типологию взаимоотношений, варьирующихся от простых напористости-пассивности до разнообразных форм физического воздействия, включая шлепки, побои или бичевание плеткой. Известные в 1950-х гг. фотокомиксы Ирвинга Клоу часто выстраивали такую последовательность: дурное поведение — словесное порицание — рабство — наказание (в качестве последнего типичным было использование расчески!).

Однако при всей сохраняющейся популярности такого рода фотоэтюдов в наши дни находятся более изощренные выразительные средства. В некоторых весьма интересных работах может встретиться всего лишь потупленный взор или изогнутая бровь — нам же предстоит завершить картину с помощью своего собственного воображения.

Современная стилистика фетишистских образов, помимо всего прочего, имеет непосредственных предшественников в богатом прошлом этого жанра. Существует две области фетишистской фотографии со времен выхода на современную сцену в 1980- х гг.

Одна из них — фотография фетишистской моды, для возникновения которой потребовалось, чтобы фетишистскую одежду — в особенности синтетическую — смогли воспринимать как моду, что и произошло при участии новых модельеров. Ее же потребовалось и снимать, в русле ценностей современных модных течений. У этого процесса были предшественники: работа Хельмута Ньютона 1970-х гг. или известный образ женщины в корсете 1938 г. работы Хорста П. Хорста. Но фактически Ньютон лишь приспосабливал свои модные фетишистские образы под то, что уже находилось в мейнстриме — он не работал с фетишистами-дизайнерами. И пусть, повторюсь снова, хорстовская женщина в корсете рассматривается сегодня как фетишистская икона, создана она была на основе вполне традиционной для того времени принадлежности туалета.

Другая, совершенно новая сфера — фетишистская клубная фотография, ставшая возможной лишь с возникновением фетишистских клубов, т.е. с 1983 г. Иногда этот вид работ фетишистского жанра недооценивался, поскольку, являясь, по сути, своего рода репортажами, возникавшие образы не достигали совершенства по сравнению со студийными съемками. Однако более чем какие-либо другие снимки, фото с фетишистских вечеринок несли в себе пульс реальной жизни, напоминая нам о том, что фетишизм — не стерильная фантазия, а волнующий мир энергии и цвета, реальных людей, любящих наряды и веселье. Эти образы говорили: любой может стать частью этого, если захочет. И в таковом качестве они заняли достойное место в данном альбоме.

За последние два десятилетия фетишистская фотография претерпела полнейшую метаморфозу. Большую часть своего существования (начавшегося примерно с рождения самой фотографии) жанр провел преимущественно в виде полузапретного феномена, созданного с целью удовлетворения сексуальных фантазий, расцениваемых, как девиации. Но по мере эволюции человека от секса как простого порождения потомства к сексу-отдыху или развлечению и расширения сексуальных горизонтов фетишизм все более рассматривается, как одна из многих и доступных всем нам нормальных разновидностей.

Современная фетишистская фотография отражает наступившие перемены образности, она более не является недозволенной, любительской тайной субкультурой, а существенной, заслуживающей доверия частью мейнстрима. Фетишистская фотография по праву занимает место значительной художественной силы, подтверждая зов наших меняющихся сексуальных пристрастий и склонностей к приключениям.

Кардинальным пунктом таких перемен впервые стало основание в начале 1980-х гг. в Лондоне квазипубличной фетишистской площадки, сведшей воедино молодых творческих людей, разделявших интерес к эксцентричным видам культуры и представлявших различные сферы деятельности. Оттуда же стал проистекать тот процесс, что в действительности сформировал и определил фетишистскую фотографию, которую мы теперь оцениваем.

Большинство работ в данном альбоме принадлежит к периоду современного ренессанса СМ и фетишизма, начиная с 1980-х гг. и до наших дней. Многие из этих образов, однако, все еще в долгу перед своими знаменитыми архетипами фетишизма прошлого. В некотором отношении современные авторы перверсных фото могут быть неразрывно связаны с прошлым посредством самой природы фетишизма, и это обстоятельство объясняет, почему столь многие усилия в создании современных фетишистских образов уходят корнями в основном в одни и те же сюжеты. Это, однако же, еще не конец искусства, как может показаться. Как раз наоборот. Пока основные фетишистские сюжеты можно будет пересказывать, возможностям их воспроизведения еще предстоит долгий путь, и сегодняшние интерпретаторы прилагают постоянные усилия, дабы принести свои собственные плоды того, что может быть названо эстетикой фетишизма.

Когда меня попросили отредактировать эту антологию, то предоставили свободу выбора авторов фотографий. И хотя было весьма лестно действовать по своему вкусу и усмотрению, я, видимо, несколько опрометчиво предположил, что легко будет подыскать 50 или около того достойных авторов. В действительности оказалось: легко найти 150, а вот сократить эту цифру на две трети гораздо затруднительнее.

Существовало несколько определенных категорий, которые я считал необходимым включить в альбом и которые, по крайней мере в соответствии с моими собственными критериями как редактора журнала *Skin Two*, должны были способствовать всеобъемлющему обзору лучших фетиш-фотографий. К примеру, фотографические звезды с привычными именами в мире моды и рекламы, чьи творения восхваляют в своем кругу хорошо известные фетишистские образы. Есть индивидуальности, никогда не заполняющие словами «фотограф-фетишист» графу о своей профессии, но чьи попытки в этой сфере явились столь заметными и удачными, что вдохновили многих других поработать в фетишистском жанре за существенно меньшее вознаграждение.

Затем есть растущая группа воинов-фетишистов, чьи работы уже публиковались в монографиях, которые большинство из вас, должно быть, видели в продаже, даже если еще и не покупали. Некоторые из этих людей также стали очень хорошо известны благодаря своим работам, и вклад их в общекультурный поток невозможно игнорировать. Эти люди и субсидировавшие их издатели облегчили другим путь к известности, которую они также заслуживали.

Третья, и весьма важная группа фотографов, работающих в жанре фетишистской фотографии — преимущественно в журналах типа моего собственного, — может быть пока не признана широкой публикой, но без них фетишистские издания останутся безрадостным и малохудожественным занятием. Эти люди — некоторые из них новички-экспериментаторы, другие уже получили свою долю известности — привнесли в избранное ими поле деятельности высокие стандарты воображения, технической квалификации и самоотверженности, независимо от того, кого и где они снимали: модели в студии или рейверов в клубе.

И наконец, «Фетиш» призван стать поистине космополитической антологией, отражающей мировой спектр талантов в своей сфере. Современный фетишизм укоренялся в Лондоне, что дает британским фотографам естественное преимущество в доступе к объектам и выставкам. Но здесь же присутствует и множество работ из Америки, Европы, скандинавских стран и Японии. И мне думается, что сам факт участия в антологии столь многих талантливых фотографов со всего мира с удивительно малой долей артистического эгоизма демонстрирует, каким дружелюбным и пользующимся взаимной поддержкой может быть перверсный мир.

Когда вы посмотрите на двести с лишним собранных здесь фотографий, то станет очевидным, почему каждая из них подпадает под категорию фетишизма. Но я, естественно, опасаюсь, что антология из многих работ совершенно различных авторов не даст возможности осознать, понять причину их отбора. В конечном итоге, то, что вы видите здесь, — результат в основном моего личного выбора, а именно, в некоторых случаях, работы, с которыми я жил годы и которые любил, либо же, в других случаях, были инстинктивно отобраны из новых материалов. Краткие заметки о каждом авторе не представляют собой биографии — это просто мои собственные моментальные снимки в попытке отразить значимость каждой индивидуальности. Таким образом, вы хотя бы поймете, почему я считаю необходимым присутствие их в этой книге — даже если вы не всегда с этим согласны. В качестве справочного материала также перечислены некоторые печатные издания — там, где это сочтено необходимым.

ФОТОГРАФЫ

NOBUYOSHI ARAKI ♦ НОБУЙОСИ АРАКИ (Япония)

Япония славится большим числом замечательных фотомастеров эротики, но среди них, вероятнее всего, на Западе наиболее известен Араки. Его откровенные работы, из тех, что он называет «неприличными», сняты дома, в номерах отелей, офисах и прочих бытовых помещениях. Сюда включены и снимки в духе сэнсей — классической японской философии подчинения. Сделанный нами выбор служит либо предисловием, либо подтверждением формы искусства, развивавшегося в Японии при посредстве высококлассных мастеров и собственных супермоделей.
Его книги: Tokyo Lucky Hole (Taschen); Shikijyo / Sexuol Desire (Stemmle)

PETER ASHWORTY ♦ ПИТЕР ЭШУОРТ (Великобритания)

Эшуорт, к началу 1980-х гг. уже устоявшийся модный лондонский рок-фотограф, ключевым образом повернул лицо современной фетишистской фотографии от любительства к профессионализму. Его подборку для клуба Skin Two оценил Джон Сэтклиф (тогдашний представитель британского фетишизма старшего поколения) в Atomage: «Это лучшие фотографии моды, когда-либо мною виденные». Последовавший затем каталог Murray & Vern для Skin Two сочли ценнейшим произведением, позволившим придать фетишистскую образность миру моды. Создав много памятных обложек и снимков для Skin Two, он остается близким другом журнала, и его самые последние работы можно видеть в новом каталоге Murray & Vern.

GILLES BERQUET ♦ ЖИЛЬ БЕРКЕ (Франция)

Работы Берке уникальны по своему сочетанию классически колдовского эффекта и жесткой фетишистской эстетики. Они любовно стилизованы и используют моделей на фоне СМ-аксессуаров и соответствующе одетых, с тем чтобы пробудить перверсное либидо. В своей парижской студии он создает мечтательные сюрреалистические образы, отражающие само фетишистское воображение. Интуитивно подбирая основные элементы, Берке создает образы необычайно выразительные по своей силе и красоте потаенной сексуальности. Его книги: Ame (Jean-Pierre Faur); Blanche (Astarte); Parfums Mecaniques (Jean-Pierre Faur); La Solitude des Anges (Treville).

CHRIS BELL ♦ КРИС БЕЛЛ (Великобритания)

Белла — технического фотографа по профессии, с фантастически острым чувством детали, к съемкам некоторых ранних черно-белых номеров журнала Skin Two привлек его прежний артдиректор Найджел Уингроув. В результате появились снимки, внешне весьма простые, что противоречило тому невероятно большому труду, который потребовался для их создания; среди них «Пятка» для Skin Two № 6, ставшая настоящей фетишистской иконой, много раз копировавшаяся, но не превзойденная. Белл продолжает работать над многими перверсными образами для видеопродукции серии Уингроува «Искупление» и в других проектах.

GÜNTER BLUM ♦ ГЮНТЕР БЛЮМ (Германия)

Блюм, умерший в июле 1997 г., был выдающимся немецким фотографом, попавшим в фетишистский жанр почти случайно. Он стал известен благодаря чарующему видению женского обаяния в первой его книге *Akt (Braus)*, где среди прочих замечательных черно-белых фото находились, бесспорно, канонические образы фетишизма. До конца жизни он продолжал работать в этом жанре со своей женой, музой и излюбленной моделью Сильвией, которая отредактировала его второй, и посмертный сборник *Venus (Braus)*.

LAURENT BOEKI ♦ ЛОРАН БОЭКИ (Бельгия)

Родом из Антверпена, Боэки стал первооткрывателем бельгийского одноцветного фетишистского журнала *Secret*. Как-то приехав в лондонский *Skin Two*, он заснял модное шоу на пленку *Kodak Gold* без вспышки, и утонченные плоды его вручную отпечатанных фоторабот явились в высшей степени стильными образами. Впоследствии он становится стойким приверженцем журнала и ежегодно поставляет натурные снимки превосходного качества. Его работы погружают в фетишистские чары клубной жизни так своеобразно, как под силу немногим.

ALEXANDER BRATTELL and STEVEN COOK ♦ АЛЕКСАНДР БРАТТЕЛ И СТИВЕН КУК (Великобритания)

Фотограф Браттел и фотодизайнер Кук объединились при работе над футуристической обложкой и съемками мод для 26-го выпуска «*New Flesh*» журнала *Skin Two*. Никогда прежде не работая в этом жанре, здесь, как явствует из подборки, они оказались как рыба в воде. Компьютеризация может явиться и злом, и технические возможности дизайнера в сфере манипуляций с образами ведут к неким очевидным результатам на поле фетишизма. Работы Браттела и Кука наглядно это демонстрируют.

BOB CARLOS CLARKE ♦ БОБ КАРЛОС КЛАРК (Великобритания)

Один из истинных основоположников фетишистской образности, Кларк уже был хорошо известен, когда с открытием в 1983 г. лондонского клуба *Skin Two* ему представилась возможность совместной работы с Дэниелом Джеймсом — творческим ядром и создателем современной моды. Элегантные сексуальные конструкции Джеймса и точный взгляд Кларка на великолепие модели в классических позах объединились и воссоздали монохромную экспрессию чудесных образов. Банки, производители продуктов питания и видеокассет были среди тех крупнейших рекламодателей, которые, как и мы, не устояли перед ними. Влияние чрезвычайное в данном жанре. Его книги: *Obscession (Quartet); The Dark Summer (Quartet); Maid in London (Daniel James catalogue)*.

JEREMY CHAPLIN ♦ ДЖЕРЕМИ ЧАПЛИН (Великобритания)

Благодаря своему образу «Трупа» Чаплин несколько лет назад утвердился в качестве первокласс-
ного фетишистского фотографа на лондонской сцене. Он тесно сотрудничал с одиозным клубом
«Сад пыток», где не без успеха выявлял суть тамошних диких шоу и публики, что и с большой силой
отразил в сборнике ретро-фото *Torture Garden (Creation)*. Его модные работы для *Skin Two* и *Murray
& Vern* равным образом сотворили из него адепта студии, где он создал знаменитые обложки «Девственниц» для журнала *Hot Air*.

ROBERT CHOURAQUI ♦ РОБЕР ШУРАКИ (Франция)

Шураки на протяжении многих лет верно отображал фетишистскую деятельность со своим особ-
бенным, парижским видением. Его пристрастие к своеобразному «подростковому» французско-
му стилю, для чего, на его взгляд, подходили «готические» девочки лондонских клубов, помогло
создать внушительную коллекцию, которая большей частью публиковалась в таких ведущих фран-
цузских СМ-изданиях, как *Demonia*. Лично мне эти дамы напоминают фильмы наподобие «Истории О». Его книга: *Esclaves de Corde et de Metal (Alixe)*.

KEVIN DAVIES ♦ КЕВИН ДЭВИС (Великобритания)

Годами обложки и работы Дэвиса для *Skin Two* являлись средством поддержания репутации журнала с точки зрения высококачественной фотографии того рода, что просматривают дома в *Vogue*.
Его поворот в середине 1980-х гг. в сторону цветной фотографии с изданием каталога Ким Уэст
послужил началом долгого и плодотворного сотрудничества с лондонским полиграфистом Брай-
аном Даулингом, печатавшим такие известные образы *Skin Two*, как обложка *Whisker* в № 11. Приве-
редливый и преданный профессионал, он заслужил международную известность в качестве пор-
третиста, модного рекламного фотомастера, но сохраняет особые связи со *Skin Two*, остающим-
ся его единственной фетишистской отдушиной.

EMMA DELVES-BROUGHTON ♦
ЭММА ДЕЛВЗ-БРОУТОН (Великобритания)

Открытая в 1998 г. журналом *Skin Two* и державшая свой талант под спудом в Бате, Делвз-Броу-
тон — представительница нового поколения фотографов-женщин, нашедших свое призвание
в фетишистской фотографии. Она специализируется в тщательно выделанном черно-белом
портрете, снимаемом в студии либо на фоне городского пейзажа, привнося в свои фетишистские образы уникальное чувство личной сопричастности. Возможно, это происходит потому,
что Эмма тратит много времени, познавая объекты перед тем, как убедить их выйти в своих
специфических одеяниях.

JOHN DIETRICH ♦ ДЖОН ДИТРИХ (Великобритания)

Вероятно, наиболее известный, как непревзойденный профессионал фототехники, обитатель Бирмингема, Дитрих годами создавал известные фетишистские плакаты, которые необязательно предназначались для сугубо фетишистского рынка, но вносили существенный вклад в такие мероприятия, как Лондонская эротическая выставка, а также использовались производителями СМ-аксессуаров. Работа со светом и внимание к деталям с тщательно подобранными тонами ставят его в ряду блестящих мастеров.

WOLFGANG EICHLER ♦ ВОЛЬФГАНГ ЭЙХЛЕР (Германия)

Вероятно, один из самых плодовитых немецких фотографов-фетишистов, он являлся оплотом ведущего в стране журнала *Marquis* и предшествовавшего ему *<O>*. Обладатель острого понимания фетишистской фантазии, Эйхлер, видимо, более других способствовал доминированию фетишистского тевтонского образа. Данная концепция нашла свое наивысшее выражение в мотогонках *<O>* и шипованном «Терминатриксе». Его книга: *Wolfgang Eichler (Marquis)*.

CHARLES GATEWOOD ♦ ЧАРЛЬЗ ГЕЙТВУД (США)

Плодовитый документалист американской альтернативной культуры последних 25 лет, Гейтвуд из Сан-Франсиско издавна ассоциируется с многочисленными вариантами СМ-сообщества. Он находился у истоков движения за модификацию тела, известного, как «Примитивизм современности», создав знаменитые образы легендарного гуру Факира Музафара, подвешенного на дереве за крючки, продетые в соски. Недавно Гейтвуд отснял такие маргинальные сюжеты, как американские кровавые культы. Его книги: *Primitives (Flash)*; *Charles Gatewood Photographs (Flash)*; *Forbidden Photographs (Flash)*; *True Blood (Last Gasp)*.

STEVE DIET GOEDDE ♦ СТИВ ДАЙЕТ ГЁДДЕ (США)

До своего переезда в прошлом году на американское западное побережье Гёдде был в Чикаго фетишистским фотографом № 1. Он снимал все главные события городской фетишистской жизни вкупе с другим бывшим мастером Молли Макги (Молли Мэйд, ныне в сан-франциском доме мод *So Hip it Hurts*), пользуясь покровительством чикагской «королевы фетиша» Синди Де-Марко, владевшей клубом-магазином «Дом чокнутых». Образы его несут в себе обаяние, чувство привязанности и черный юмор, что отличает их от простых плакатов. Его книга: *The Beauty of Fetish (Stemmle)*.

DAVID GOLDMAN ♦ ДЭВИД ГОЛДМЭН (Великобритания)

Непрофессиональный фотограф-фетишист, Голдмэн тем не менее создатель лучших натурных фети- шистских снимков. Его съемки ежегодного бала *Skin Two* стоят наравне с работами Лорана Боэки по колориту и умению схватить ракурс. Кажущееся на первый взгляд легким мастерство Голдмэна связано с регулярной (хотя он излишне скромен, чтобы это признать) деятельностью в качестве ведущего фотографа на международных мотогонках — специалиста в моментальной съемке.

PETER KODICK GRAVELLE ♦ ПИТЕР КОДИК ГРЭВЕЛЛ (Великобритания/США)

Грэвелл предложил мне несколько лет назад поразительные цветные снимки нью-йоркских моде- лей вызывающего характера и необычайного колорита. Они были столь остры и полны динамики, что я даже не заметил, что он пользовался обычными аксессуарами секс-шопа — признак люби- тельства в моей профессии. Однако никакого любительства не было: он многие годы оттачивал мастерство, будучи рок-фотографом под именем Питер Кодик. Его коллекция в № 25 *Skin Two* вели- колепна, за ней, я убежден, последует продолжение.

JO HAMMAR ♦ ДЖО ХАММАР (Германия)

Работая с клиентурой в сферах моды, рекламы, музыки и модных журналов, фотограф, видео- и телепродюсер Хаммар получает от своих фетишистских работ наибольшее удовлетворение. Он явился пионером высококачественной цветной фотографии фетишистских фантазий на экзо- тическом фоне. Хаммару особенно удаются превосходно выполненные эксцентричные образы, под которыми выступают чувственные модели, затянутые в латекс и противогазы. В том, как он стал- кивает фантазию и повседневность, ощущаешь много юмора и любви. Этому во многом способ- ствуют и его книги, компакт-диски, выставки. Его книги: *Fetish Rubber (EAT)*; *Female Rubber (EAT)*.

ERIK HANSEN ♦ ЭРИК ХАНСЕН (Дания)

Рекламный фотограф Хансен из Копенгагена впервые привлек мое внимание неистовыми обра- зами новой компании под названием *Conflicto*, использовавшей таинственные скандинавские средневековые и готические мотивы в дизайне удивительных кожаных изделий. Объектив Хансена чутко схватывает театрализованную сущность этих фантастических фетишистских фигур — «кожа- ных» служанок и горничных. И хотя в его последующих работах используются менее экстрава- гантные одеяния, хансеновский безошибочный взор на модели с фетишистскими потенциями при- носит не менее впечатляющие результаты.

HERBERT W HESSELMANN ♦
ГЕРБЕРТ В. ХЕССЕЛЬМАН (Германия)

Мюнхенский фотограф Хессельман специализируется в рекламе и эротике с 1975 г. в широком диапазоне: от автомобилей БМВ до пива «Лёвенбрау» и в журналах от «Штерна» до «Плейбоя». Его вдохновляли работы художника Джона Уилли над комиксом «Приключения Гвендолин», для которых он создал широко известные эротические фото. Одевая свои модели под персонажей комикса «Гвендолин» и U69, Хессельман создал серию простых и красивых снимков женщин-властительниц, на что тогда требовалась определенная смелость. Со времени своего появления в книге *Princess in Blond Und Tango (Bahia)* в 1983 г. они и по сей день остаются классическими фетишистскими образами.

JAMES & JAMES ♦ ДЖЕЙМС И ДЖЕЙМС (Великобритания)

Созданный после распада прежнего партнерства *Jola James,* дуэт Джеймс и Джеймс явился в 1990 г. важным дополнением к списку авторов *Skin Two,* привнеся не только свежесть художественной школы и острое чувство моды, но и творческие потенции весьма высокого уровня. Они отсняли обложку для нашего выпуска 19 с Марком Элмондом, и их фасоны, портреты и каталоги остаются ярчайшими в своем роде.

SANDRA JENSEN ♦ САНДРА ЙЕНСЕН (Норвегия)

Сандра Йенсен — еще одно открытие *Skin Two* — родом из Осло, прежде чем заняться фотографией, была моделью в Париже. Ныне она выпускает высококачественные образцы фетишистской моды, как в ослепительных красках, так и по контрасту с этим в угрюмом черно-белом варианте. Причем занимается не только фотографией, но является также стилистом, парикмахером, гримером, декоратором, а изредка даже и дизайнером-костюмером. Кроме того, она поэт, музыкант и кинорежиссер. Успел ли я доложить, что это пышная блондинка? Просто некоторые получают более того, что предназначено судьбой.

KARO ♦ КАРО (Германия)

Живя в Гамбурге, Каро сочетает любовь к фотографии с моделированием фетишистской одежды. Его работы легко узнаваемы и производятся главным образом из синтетических материалов, раскроенных весьма смелым образом. В сочетании с провокативным фактором его модели имеют обыкновение быть обритыми и обладают пирсингом — что едва ли могут скрыть короткие юбки и чулки. Таким образом, СМ-динамика здесь яснее ясного — почти до буквальной степени; модели не столько позируют перед объективом, сколько просто выставляются перед ним. Его книги: *Fetish Scenes (Sachs & Goetz); Karo Design (catalogue).*

RICHARD KERN ♦ РИЧАРД КЕРН (США)

По собственному признанию, Керн — скверное дитя нью-йоркской полуподпольной кино- и фотоиндустрии, один из основных участников греховного кино и последователь знаменитейшего извращенца последнего периода Эрика Кролла. СМ- и фетишистские фото Керна явились побочными результатами его кинематографической деятельности, но впечатляют отнюдь не меньше. Он стремится шокировать, зачастую успешно, яркими, бескомпромиссными образами насилия, жестокости и крови. Его также возбуждают «курочки» с оружием. Его книга: *New York Girls (Taschen)*.

DORIS KLOSTER ♦ ДОРИС КЛОСТЕР (США)

Стремясь уйти от подражания Керну, Клостер все-таки не смогла создать стиль более от него отличный. Продолжительное время сотрудничая в журнале альтернативного стиля *Fad*, она регулярно заигрывала с фетиш-модой, выявляя образ женщины-вамп в столь часто проявляемом нью-йоркском духе. В *Skin Two* она принесла острый женский взгляд на портретирование нью-йоркских СМ-профессионалок и их клиентов, составивших ее первую книгу *Doris Kloster (Taschen)*, тогда как вторая, *Forms of Desire (St. Martin's Press)*, отобразила множество экзотических обитателей сексуального подполья.

ERIC KROLL ♦ ЭРИК КРОЛЛ (США)

Благодаря громадному успеху своих книг, Кролл стал самым известным в мире фотографом-фетишистом. Он создавал свою коллекцию перверсных снимков, работая на нью-йоркские журналы типа *Leg Show*, публиковавшего снимки Бетти Пейдж работы Банни Егера. Кролл увлекался всеми аспектами фетишизма, но особенно заинтересовался в 1950-х гг. моделированием одежды, что внесло во многие его работы привкус китча. Не всем по вкусу такой стиль, но в подходах Кролла присутствует юмор и самопародирование, а его готовность извлечь из объекта сладострастный эффект поклонники находят необычайно привлекательной. Его книги: *Fetish Girls (Taschen)*; *Beauty Parade (Taschen)*.

GRACE LAU ♦ ГРЕЙС ЛО (Великобритания)

В начале 1980-х гг. партнер Тима Вудворда в журнале *Skin Two* Ло была первым «официальным» хроникером возникшего в Лондоне фетишизма. Ярой феминистке динамика внутри СМ виделась как путь завоевания власти; она, насколько могла, старалась снимать сильнодействующие феминистские сюжеты. Ранние черно-белые работы явным образом выражали сексуальные пристрастия Грейс Ло и породили многочисленных антагонистов ее выставок, коими она небезуспешно пыталась завоевать мир. Грейс Ло все еще очень активна как в сфере сексуальной политики, так и в фотографии. Ее книга: *Adults in Wonderland (Serpent's Tail)*.

GUY LEMAIRE ♦ ГИ ЛЁМЭР (Бельгия)

Работы Лёмэра имеют два явных выдающихся качества. Первое состоит в своеобразии черно-белого стиля, в котором отдельные части снимков складываются иногда воедино, создавая финальный образ. Другим является особо жесткая природа объекта. Заполненная железной утварью, кожей и веревками студия Лёмэра имеет все атрибуты инквизиционного суда, так что люди, которых он снимает, могут испытывать порой чувства не только объектов фотосъемки, а чего-то большего. Художническая сила Лёмэра частью лежит в русле побуждения ответить на вопрос: «Насколько все это реально?» Его книга: *Corps a Cordes (Astarte); SM Photographies (Jaybird); Trances des Images (Secret).*

NIC MARCHANT ♦ НИК МАРШАН (Великобритания)

В дополнение к обязанностям осветителя и выставочного дизайнера, а также директора по производству *Skin Two Rubber Ball*, Маршан находит еще и время для талантливых фетишистских фотографий. Его специализация — в мягко сфокусированных черно-белых снимках, которые он затем подвергает химической обработке и получает замечательные результаты. Среди его творений — обложки для «Девственниц», реклама в *Fetters* и классическая обложка *Fetish Nation* в № 20 *Skin Two*.

MIKE McMILLAN ♦ МАЙК МАКМИЛЛАН (Великобритания)

Макмиллан стал известен благодаря фотографиям и дизайну лондонского фетишистского журнала *Ritual* прежде, чем в конце 1998 г. основал свое собственное издание *Pure*. Он создавал цветные снимки клубной жизни в Лондоне и, помимо этого, цепким фотографическим взглядом комбинировал мощную стилистику с элементами перверсного озорства. Его обложка к *Ritual* № 3 с моделью в красной маске, красных перчатках и балетных туфлях — уже классика жанра.

CRAIG MOREY ♦ КРЭЙГ МОРИ (США)

Мори — прославленный фотограф высокого стиля, специализирующийся в черно-белой стилистике обнаженного портрета, чье значительное влияние проистекает из явной простоты, изобличая каждую деталь образа. Изысканная эротичность, включающая символические элементы подчинения, — повторяющаяся тема его творений. Так, его модели балансируют на задрапированных подиумах, иногда с завязанными глазами, порой в корсетах, позируют со связанными веревками или кожаными ремнями руками в деланой манере, осознанно подтверждающей присутствие объектива. Результатом является безмятежное скульптурное качество в полном соответствии с концепцией «натюрморта с подчинением». Его книги: *Linea (Korinsha); Body/Expression/Silence (La Merche).*

RICHARD MORRELL ♦ РИЧАРД МОРРЕЛ (Великобритания)

Недавно вернувшийся в Англию после шестилетней работы в Лос-Анджелесе, Моррел — модный рекламный фотограф, также работающий и в эротическом жанре как профессионально («Плейбой» и «Пентхаус»), так и в частном порядке. В последнем случае его работы зиждутся на редкостном ощущении ретро, позаимствованном из фильмов черной серии (*film noir*). Он с радостью признается в большом влиянии Хельмута Ньютона, с которым сходится в одержимости прекрасными декорациями. В результате явились мрачные, с особо изысканной атмосферой в каждой детали настоящие образцы фетишистской классики, но без рабского подражания Ньютону.

CHRISTOPHE MOURTHÉ ♦ КРИСТОФ МУРТЕ (Франция)

Первым значительным вкладом Мурте в фетишистскую образность стал в 1994 г. каталог парижского фетишистского магазина *Phylea*. Тяжеловесно стилизованные образы с избытком волос и сильным гримом тут же определили тяготение Мурте к явно выраженному пышному очарованию фетиша. Его женщины подобны театральным виньеткам как в образах повелевающих, так и подчиняющихся; порой властные, а иногда грызущиеся, как скованные одной цепью арестантки. Прославления фетишистской прессы побудили Мурте продолжать в том же русле, и последние его работы для брюссельского магазина *Minuit* особенно впечатляют. Его книги: *Prelude au Scandale* (*Les Temporalistes Reunis*); *Marlene Love* (*Vents d'Ouest*); *Boutique Minuit* (*hardback catalogue*).

GÉRARD MUSY ♦ ЖЕРАР МЮЗИ (Франция)

Швейцарский фотограф, обосновавшийся в Париже, Мюзи работал для таких модных журналов, как *Vogue*, и привнес ту же чувственность в свои фетишистские работы. Основные его творения для *Skin Two* продемонстрировали, как умело он сочетает образы моды, являющиеся очень сексуальными, с фетишистскими образами, ставшими весьма модными. Предпочитая черно-белые средства выражения, недавно он занялся компьютерной графикой «Фотошоп» и выпустил весьма примечательные цветные снимки для нашей *Rubber Ball Book* и каталог одежды *Collection 4*.

PEROU ♦ ПЕРУ (Великобритания)

Перу привлек к себе внимание стильными съемками на приеме в честь «Подчинения» в студии-времянке, организованной им в клубе. Представитель нового поколения стильных фотографов, он уже находится на пути к вершинам мастерства в ультраавангардистском журнале *Dazed & Confused*. Он с энтузиазмом поработал над нашим модным шоу «*Little Red Riding Hood*» и внес свою расплывчатую цветовую гамму в другие модные проекты, например, в наш *Skin Two* № 23 с Келли Брук. Последовавшая работа для *Time Out* показала, что он не утратил влечения к жанру.

DORALBA PICERNO ♦
ДОРАЛЬБА ПИСЕРНО (Великобритания)

Еще учась в фотошколе, юная Писерно принесла в *Skin Two* небольшую подборку черно-белых снимков татуировок и пирсинга. Мы направили ее в Лондонский клуб с целью подобрать более подходящий материал. Она вернулась с яркими фото его экзотических обитателей, колоритные живописные образы которых отражали неведомый мир. С тех пор она вносит существенный вклад в наши мероприятия, привнося туда твердую женскую перспективу. Ее собрание портретов и мод также ширится: для нашего издания «СМ и религия» она позаимствовала идеи из своего итальянского католического воспитания и опубликовала первую композицию моды с площади Пигаль в выпуске 28 *Skin Two*.

PIERRE ET GILLES ♦ ПЬЕР и ЖИЛЬ (Франция)

Это парижский дуэт легендарных создателей блистательных образцов цветного фотоискусства в области портретирования (Катрин Денёв, Палома Пикассо), рекламных кампаний (Готье, «Водка Абсолют») и альбомов (Марк Элмонд, Бой Джордж). Вся их деятельность навязчива, но одержимость, с которой они уделяют внимание религиозному и садомазохистскому символизму (часто в сочетании), приводит к появлению волнующе-прекрасных и тревожащих образов. Знаменитые фетиш-образы были созданы с участием Полли и Энцо, двух легендарных моделей из Лондона; их трио вместе с немецкой певицей Ниной Хейген в роли Бетти Пэйдж можно видеть на плакатах на каждой станции парижского метро.

HOUSK RANDALL-GODDARD ♦
ХУСК РЭНДАЛЛ-ГОДДАРД (Великобритания)

Работавший до последней своей женитьбы под именем Хуск Рэндалл, этот обосновавшийся в Лондоне калифорниец — одно из привычных имен в мире фетишистской фотографии. Открыв для себя лондонскую сцену в конце 1980-х гг., он стал создавать фетишистские образы в стиле уникального гибрида фото и живописи. Следующей большой затеей стали съемки его перверсных приятелей, известных своими нарядами, которых он убедил позировать более или менее обнаженными; эти снимки, снятые в новой, высококонтрастной черно-белой манере, составили основу его первой книги *Revelations*. Затем последовали коллекции СМ-пар и пирсинг/татуировки. Им также создан забавно-жестокий каталог *Bizarre Rubber Collection*. Его книги: *Revelations* (TWP); *Rituals of Love* (Picador); *The Customized Body* (Serpent's Tail).

DEREK RIDGERS ◆ ДЕРЕК РИДЖЕРС (Великобритания)

Риджерс, известный рок-фотограф, фотожурналист и один из основных авторов журнала *Loaded*, вел хронику самых выдающихся событий альтернативной клубной жизни на протяжении четверти века. Неудивительно, что он присутствовал на открытии клуба *Skin Two* в 1983 г. и снимал экстравагантно одетую публику на фоне ближайшей стены на память потомству. Между выполнением своих обязанностей на Каннском кинофестивале он продолжал съемки как в Лондоне, так и повсюду, где сталкивался с фетишистской деятельностью; его черно-белые фотожурналистские работы для еженедельника *New Musical Express* можно регулярно встретить в *Skin Two*. Где бы ни проходила перверсная акция, Риджерс всегда рядом.

GARY & PIERRE SILVA ◆ ГЭРИ И ПЬЕР СИЛЬВА (США)

Семейный дуэт Гэри и Пьер привлек мое внимание в 1997 г. своими стилизованными портретами лос-анджелесских фетишистов — тех, кого случалось им встретить среди участников фетишистских собраний в условиях урбанистических сцен Лос-Анджелеса. Благодаря качеству работ эти авторы постоянно заняты в высококлассной рекламе, и равным образом они утвердили себя в адептах основных модных фетишистских журналов. Среди их последних созданий — ошеломляющие черно-белые фото для лос-анджелесской *Vampire Technology*, с помощью которой производится одежда, мебель и прочие артефакты из химических отходов.

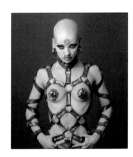

NICHOLAS SINCLAIR ◆ НИКОЛАС СИНКЛЕР (Великобритания)

Брайтонец Синклер, имевший в своем активе столь серьезные издания, как *The Times, The Guardian* и вплоть до *Harpers & Queen*, впервые столкнулся с миром фетиша, когда снимал экзотические костюмы знаменитых брайтонских фантазеров *E-Garbs*. В 1995 г. коллекция его технически совершенных портретов побывала в брайтонском музее на выставке под названием «*The Chameleon Body*» — предвестнике книги, появившейся в 1996 г. и, без сомнения, утвердившей его в качестве творца исключительного по образности материала. Он продолжает сотрудничать с *E-Garbs*, среди его недавних работ фото экстравагантных кожаных одеяний для таинственного м-ра Ван Сапера из Нью-Йорка. Его книга: *The Chameleon Body (Lund Humphries)*.

ALAN SIVRONI ♦ АЛАН СИВРОНИ (Великобритания)

Сиврони впервые заявил о себе в начале 1990-х гг., когда создавал фетишистские портреты в ежеме-сячно организуемой им студии в лондонском клубе *Fantastic!* Он породил невероятную коллекцию индивидуальностей и пар, специализируясь в печатании с сепия-тонами, что придавало его объек-там ностальгический оттенок, но вместе с тем и сильное отражение личности. Вынужденный сотруд-ничать со многими другими клубами, в том числе с «*Садом пыток*», он вначале стыдился публиковать свои работы, но в итоге все-таки включил некоторые из них в *Skin Two*, а также написал книгу *Torture Garden (Creation)*.

ROMAIN SLOCOMBE ♦ РОМЭН СЛОКОМБ (Франция)

Англо-французский фотограф и художник Слокомб впервые обнаружил свой фетишизм медицинского свойства, создавая в 1978 г. графику для новеллы *Prisoniere de l'armee Rouge (Les Humanoides Associes)*, предвосхитив на 20 лет полемику вокруг фильма Дэвида Кроненберга *Crash*. С тех пор его работы посвящены образам госпитализированных азиатов и еще более специфичным — японкам в гипсе, создающим жанр своеобразного «двойного подчинения». Образы прелестных японочек в хирурги-ческих корсетах поначалу могут шокировать, но более беспристрастный взгляд усматривает в них существенные компоненты модификации тела, что и определяет фетишизм, хотя и необычным путем. Его книги: *Kowasareta Ningyo/Broken Dolls (Jean-Pierre Faur); City of the Broken Dolls (Velvet/Creation); Tokyo, Un Monde Flottant/Tokyo, A Floating World (Michael Bavery); Beauties in Bandage (Soft Machine CD-Rom/booklet); Y+Y (L'Art Penultieme)*.

CLEO UEBELMANN ♦ КЛЕО ЭЙБЕЛЬМАН (Швейцария)

Фотограф и кинорежиссер, швейцарка Эйбельман прославилась в 1986 г. первым художественным фетишистским фильмом *Mano Destra*. Снятый статичной камерой на 16-миллиметровой пленке ма-териал представлял собой хронологию взаимоотношений между одетой в кожу повелительницей (сама Эйбельман) и связанной веревкой рабыней-блондинкой в темной башне стиля *hi-tech*. В дей-ствительности пленка была создана на основе фотографий того же объекта, сделанных Эйбель-ман. Подложив сюда звуковой фон и медленно меняя кадры, она добилась уникальной атмосферы эротического предвкушения. В 1988 г. все это было опубликовано в книге *The Dominas — Mano Destra (Claudia Gehrke)*.

DEL LaGRACE VOLCANO ♦ ДЕЛЬ ЛяГРАС ВОЛКАНО (США/Великобритания)

Американка, живущая в Лондоне, была некоторое время тому назад больше известна, как Делла Грэйс; она продюсер самых замечательных лондонских «кожаных» образов. Книга *Love Bites* (*GMP*), в которой они появились, напомнила нам о мягкой, женской ипостаси лесбийского фетишизма, имеющего столько же прав на существование, сколько и чаще встречаемый жесткий взгляд «женщины в коже». Каталог фотографий, выпущенный для женщин фирмой *Get Wet*, воспроизвел эти образы-ориентиры времени.

TREVOR WATSON ♦ ТРЕВОР УОТСОН (Великобритания)

По-видимому, самый плодовитый фотограф лондонского фетишистского сообщества, Уотсон начал снимать фетиш-моду в середине 1980-х гг. и вскоре стал регулярно сотрудничать со *Skin Two* и другими фетишистскими журналами. Первые его дофетишистские пробы в черно-белых эротических тонах породили несколько классических плакатных работ. Затем разнообразное поле фетишистской деятельности предоставило ему большие возможности для расширения творческого диапазона — от фетишистской моды через мягкую романтическую эротичность к довлеющей жесткости, обычно сдобренной иронией. Сохраняя пристрастие к одноцветной фотографии, он в то же время интенсивно работает в цвете и использует компьютерную графику. В большинстве работ его партнером выступает Дебби Гриффин; плодами их сотрудничества стали две классические обложки *Skin Two*, выпуски 21 и 25. Его книга: *Girls Behaving Badly* (*Erotic Print Society*).

BEN WESTWOOD ♦ БЕН УЭСТВУД (Великобритания)

В 1993 г. юный смущенный Уэствуд показал работы в *Skin Two*. То были современные интерпретации обнаженной натуры 1950-х гг., преисполненные невинного озорства в духе того времени, но облагороженные им при помощи цвета и модных стилизующих деталей, например туфель из гардероба его матери Вивьен. Увлеченность дамским бельем привела его к собственноручному моделированию и, соответственно, обеспечила больше фотообъектов; съемки же с бельем остались всепоглощающей страстью. Но недавно он отвлекся на более жесткую область фетишистской образности, добавив в свои творения яркие снимки в духе СМ. У него состоялись выставки в Лондоне и Токио.

Nobuyoshi Araki

Peter Ashworth

Peter Ashworth

Gilles Berquet

Gilles Berquet

Chris Bell

Chris Bell

Chris Bell

Günter Blum

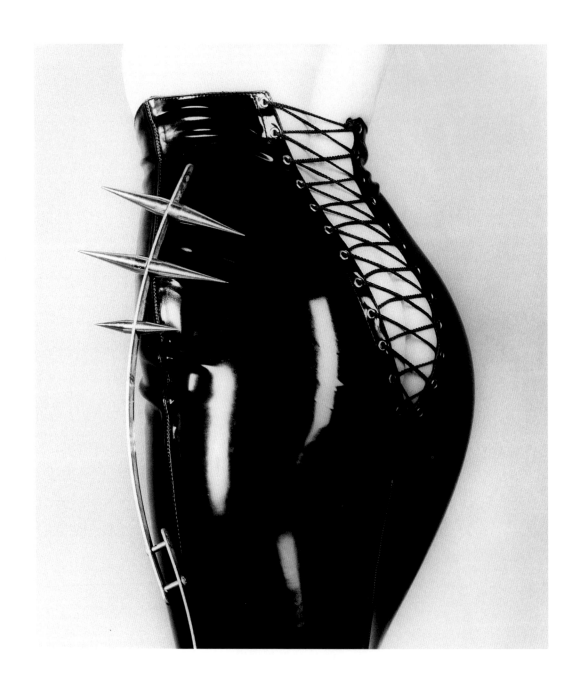

Günter Blum

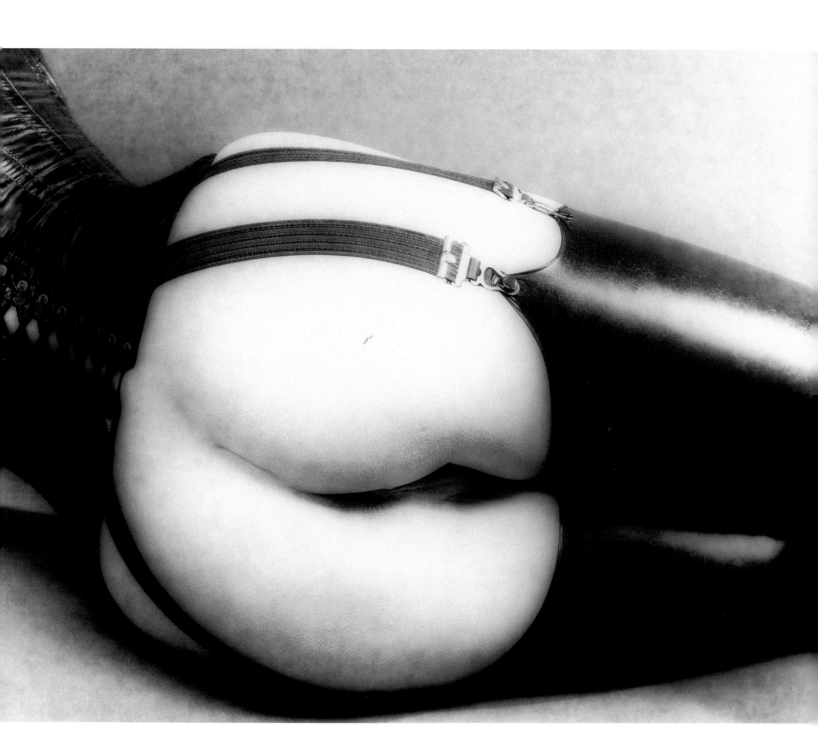

Günter Blum

Günter Blum

Laurent Boeki

Laurent Boeki

Laurent Boeki

Alexander Brattell
& Steven Cook

Alexander Brattell & Steven Cook

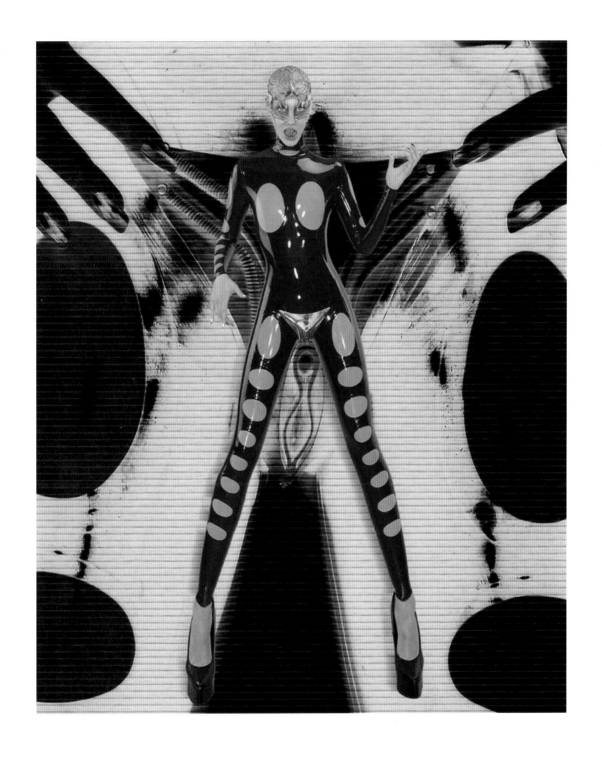

Bob Carlos Clarke

Bob Carlos Clarke

Jeremy Chaplin

Robert Chouraqui

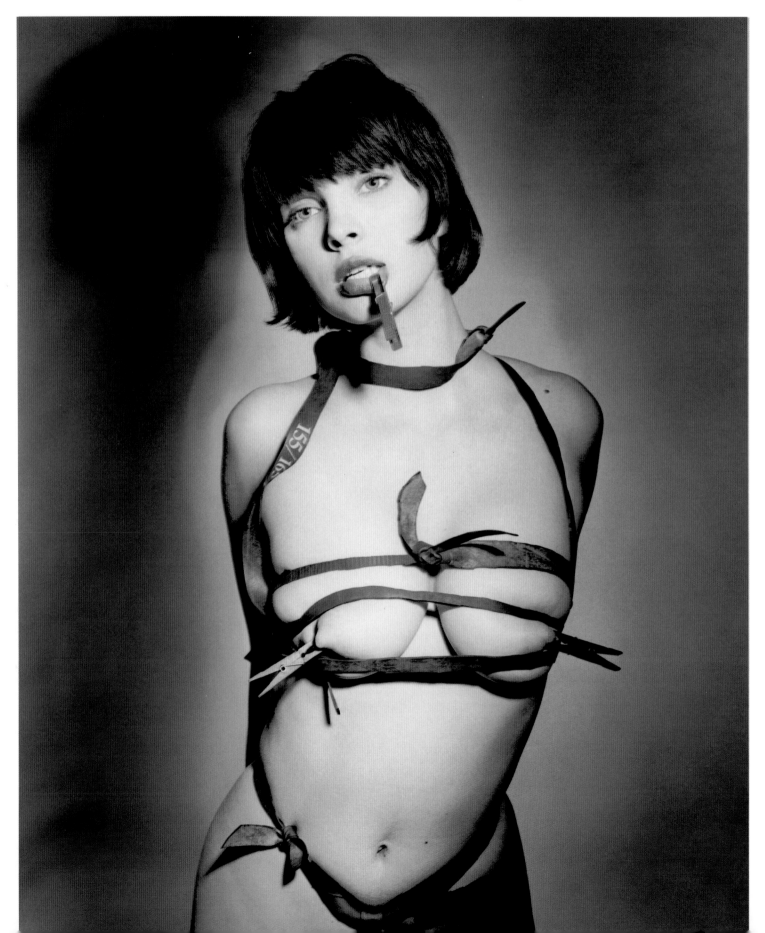

Robert Chouraqui

Kevin Davies

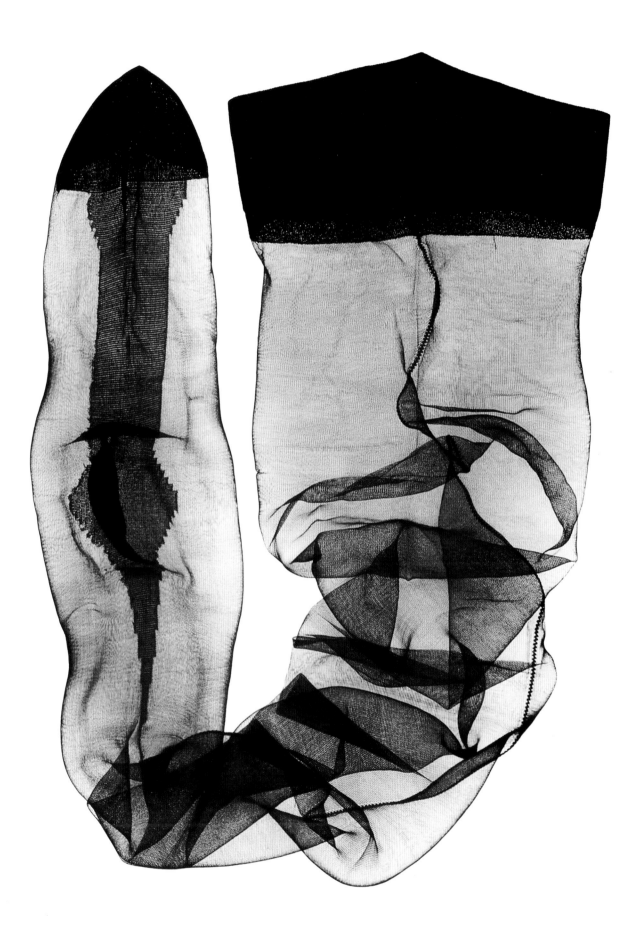

Emma
Delves-Broughton

Emma Delves-Broughton

Emma Delves-Broughton

John Dietrich

John Dietrich

John Dietrich

Wolfgang Eichler

Wolfgang Eichler

Charles
Gatewood

Steve
Diet Goedde

Steve Diet Goedde

David Goldman

David Goldman

David Goldman

Peter
Kodick Gravelle

Jo Hammar

Jo Hammar

Jo Hammar

Erik Hansen

Herbert W Hesselmann

Herbert W Hesselmann

Herbert W Hesselmann

James & James

James & James

Sandra Jensen

Sandra Jensen

Karo

Richard Kern

Doris Kloster

Doris Kloster

Doris Kloster

Doris Kloster

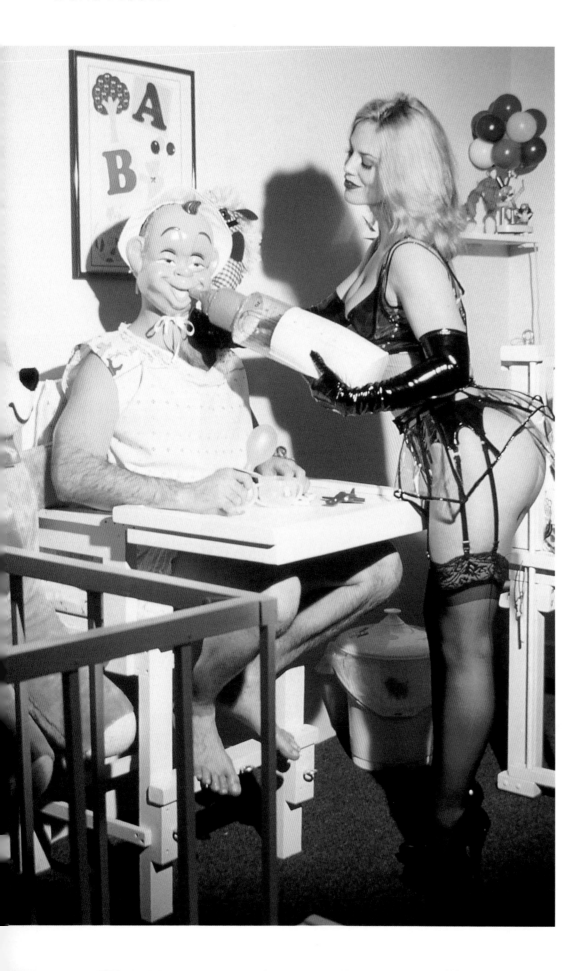

Eric Kroll

Eric Kroll

Eric Kroll

Eric Kroll

Eric Kroll

Grace Lau

Grace Lau

Guy Lemaire

Guy Lemaire

Guy Lemaire

Nic Marchant

Nic Marchant

Nic Marchant

Mike
McMillan

Craig Morey

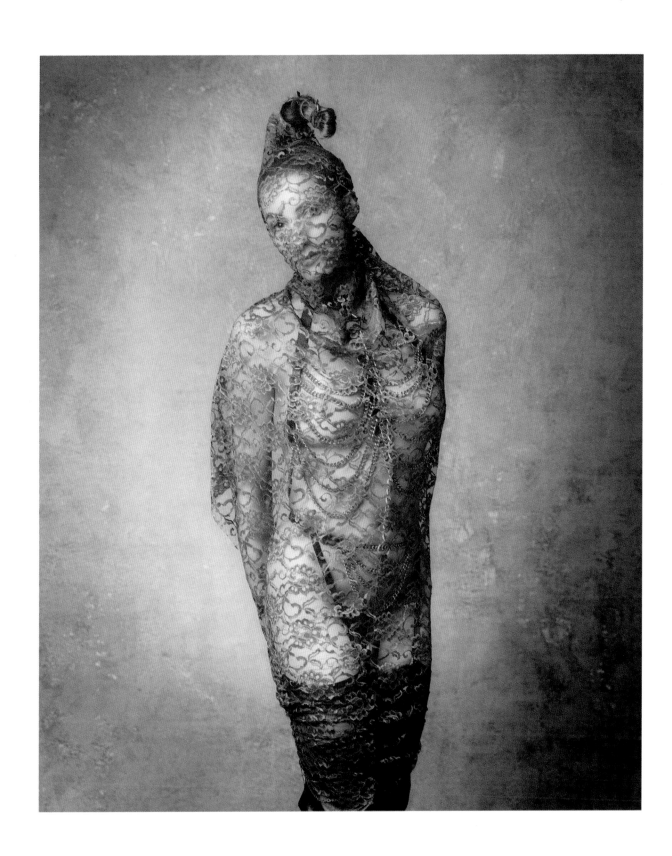

Richard
Morrell

Richard Morrell

Richard Morrell

Christophe
Mourthé

Gérard Musy

Gérard Musy

Perou

Perou

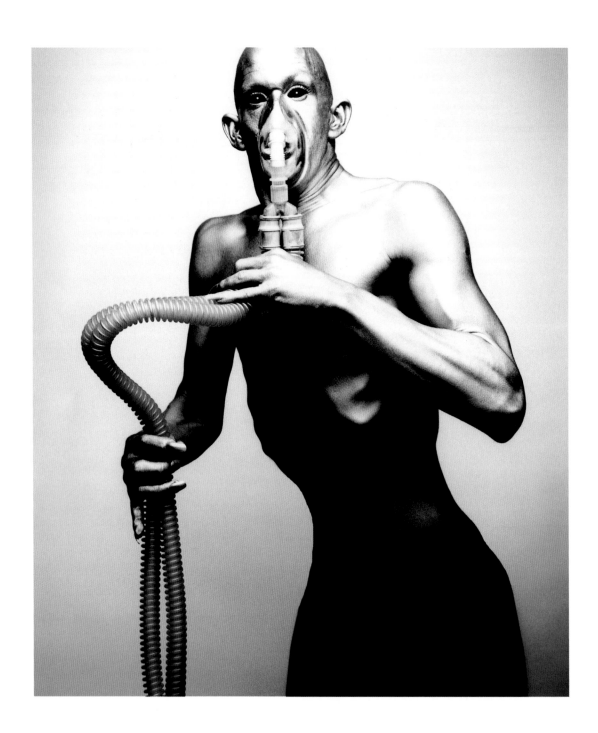

Doralba Picerno

Doralba Picerno

Pierre et Gilles

Pierre et Gilles

Housk
Randall-Goddard

Housk Randall-Goddard

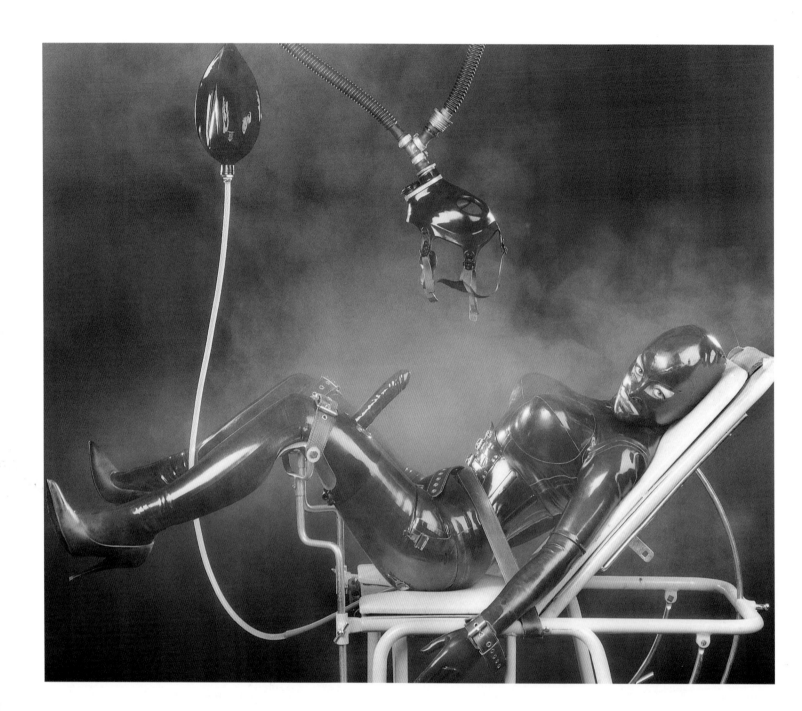

Derek Ridgers

Derek Ridgers

Gary & Pierre Silva

Nicholas Sinclair

Nicholas Sinclair

Alan Sivroni

Romain Slocombe

Cléo Uebelmann

Del LaGrace Volcano

Trevor Watson

Trevor Watson

Trevor Watson

Ben Westwood

Ben Westwood

Ben Westwood

Митчелл Тони

ФЕТИШ

ШЕДЕВРЫ ЭРОТИЧЕСКОЙ ФОТОГРАФИИ

Перевод с английского
И. А. БОЧКОВА

Художественно-технический редактор
М. В. ГАГАРИНА

Корректор
Л. А. ЛАЗАРЕВА

Лиц. изд. № 071497 от 08.09.97.

Налоговая льгота — общероссийский
классификатор продукции ОК-005-93, том 2;
953000 — книги, брошюры.

ООО «Экспресс-Клуб».
125124, Москва, а/я 49.
1-я ул. Ямского поля, 28.

МЕЛКООПТОВЫЙ СКЛАД:
Москва, 1-я ул. Ямского поля, 28 (левое крыло).
Тел.: (095) 257-34-75.

ОТДЕЛ ОПТОВЫХ ПРОДАЖ:
все города России, СНГ: (095) 257-46-61;
Москва и Московская область: (095) 257-41-32.

Митчелл Т.

М66   Фетиш: Шедевры эротической фотографии. — М.: Экспресс-Клуб, 2001. —
224 с.

«Фетиш» — космополитическая антология, отражающая мировой спектр талантов
в своей сфере. Здесь представлены работы самых известных фотографов мира: Но-
буйоси Араки, Питера Эшуорта, Криса Белла, Гюнтера Блюма, Джона Дитриха и др.

ISBN 5-8023-0006-x   ББК 85.16(4Вел)